가짜 동맹 ⑤

글·크림·케냠

DASAN COMICS

Contents

가짜 동맹

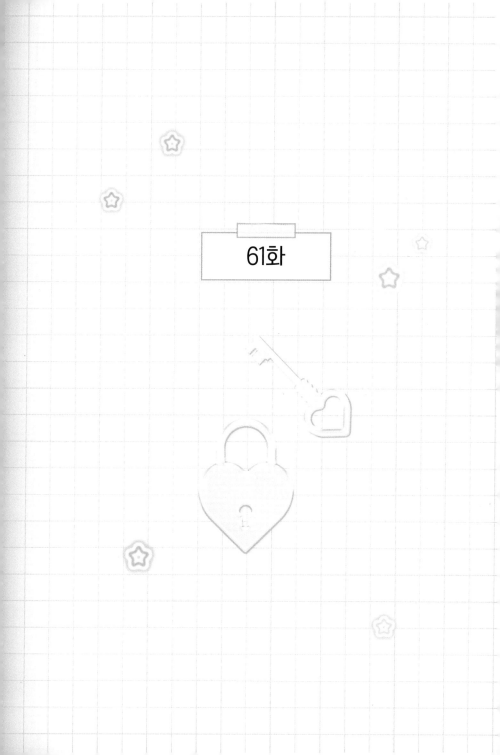

61화

풀썩!

그럼 들키니까 더 나가면 안 되겠네!

!

그냥 여기서 자야겠다.

안 돼.

엥~ 야, 김재하.

너 기억 안 나?

흠칫

전에 놀이공원 갔을 때 네 방에서 자도 된다고 약속했잖아!

부스럭

부스럭

…윤세이.

잊어버린 건 아니지

윤세이!

콰악

너 왜
내 쪽 안 보냐?

그냥….

흠…

근데 너
바다 별로
안 좋아해?

…아니, 왜?

좀 전에 아주머니가
네가 바다 간다니까
의외라는 듯이
말씀하셔서.

넌?

난
바다 좋아해!

톡톡

어렸을 때
엄마가 항상 바빠서
가족여행은
거의 못 가봤거든?

근데 엄마가 딱 한 번
짧은 휴가를 받아서
다 같이 바다에
간 적이 있는데,

너무 즐거웠어서
아직도 기억이 나.

그래서 내가 좋아하는 바다에 너랑 꼭 같이 가고 싶었어.

재밌겠다, 그치?

쏘곤..

응.

그거 알아?

바다에서 오래 놀고 나면,

자려고 누워도 파도 소리가 들리는 것 같다?

사아..

온몸엔 물결이 울렁울렁 닿는 것 같고

역시 괜히
간다고 했나.

음...

"잡아도 아무 느낌
안 들었으니까
그만 걱정하라고."

만지작..

근데
내가 어떻게
잡았지?

콰악

그렇게
세게 잡았나?

아오,
아직도 아프네,
미츠!

저 무뚝뚝한
두 남자 사이에서
우리 세이가 있어서
밝고 좋았는데…

간다니까
서운하다.

그동안 정말
감사했어요!

어차피 짐만 옮겨놓고
오후에 축가 연습하러
다시 온다며.

큼큼,
스트레스를 많이 받으면
급성 위염이 온다는데
내가 봤을 때 넌 저녁에 매운 걸
먹어서 아픈 게 아닌가
학여...

여보, 그만해.

왜 세이한테까지
잔소리를 해,
한 문장으로 줄여.

건강해라.

와락♡

네!
아저씨도요!!

재하
못 보고 가니
아쉽겠네~

하필 재하가
아침부터 학원 가는
날이라

괜찮아요,
이따 볼 건데요,
뭘.

어제 나도 모르게
김재하 방에서
자버렸지.

13

저 차인가?
엄마 왔나 보다,
세이야.

이따 만나면
고맙다고
해야겠다.

안 깨운 덕에
어제 진짜
좋은 꿈 꿨으니까.

세이야.

엄마.

잘 있었어?

보고 싶어서
귀국 앞당기느라
얼마나 고생했는지
몰라!

언니 안녕

...응,
잘 있었어.

보고 싶었어,
엄마.

아저씨도
오셨네요.

어, 오늘 점심은
다 같이 먹으면
좋을 것 같아서.

아저씨도
우리 가족이 될
사람이잖아!

......

아팠다며.

아저씨가 병원 같이 가줄 수 있었는데 불러주지.

바쁘실 것 같아서요.

감사해요, 다음엔 꼭 연락드릴게요!

얘가 마냥 밝아 보여도 참 사려 깊지?

당신 생각을 이렇게 한다니까~

근데 언제까지 아저씨라고 부를 거야?

슬슬 연습해봐, 다른 호칭을.

어…?

괜찮아, 세이가 알아서 하겠지.

그런가… 축가 연습 빨리 끝내고 돌아와, 딸!

툭

엄마한텐 그냥
너 자체가
가장 소중하다니까.

거짓말.

나로는
안 되면서.

엄마는 항상
나 말고 누군가가
필요하잖아.

윤세이!

어?
내가 너희 집으로
간다니까…!

학원 끝나고
바로 온 거야?

응.

네가 아직
집에 안 왔다길래
걱정돼서 와봤어.

무슨 일
있었어?

아니 그건
아니고…

사아아..

누굴
가족으로 받아들이는 게
점점 더 어려워지는 것
같아.

특히 난
언제 바뀔지도 모른다는
생각이 자꾸 드니까….

맞아, 어렵지.

우리 엄마를 보면
점점 더 확신이 들어.

사람 마음은 진짜
쉽게 변하는 것 같아.

20

쉽게 사랑하고
쉽게 떠나고…

아, 재미없는
소리 해서 미안.

뿔뿔

아니야.

그래도
너랑 있으니까
기분이 나아졌어~

부비적

고마워.

번뜩!

아, 맞다.
너 어제 나
내 침대로
옮겨놨더라?

응.

덕분에
안 깨고 잘 잤다!

ㅋ

혹시 옮기면서
전처럼 몰래
뽀뽀한 건 아니지?
ㅋㅋ

안 했어.

진짜? ㅋㅋ
그럼 지금은?!

안 한다니까….

흠… 그래?

난 하고 싶은데.

충전이 필요해.

왜 할 때마다
부끄러워해.

이런… 거나
하고 싶은 말은
그냥 다 해도
된다니까.

…한 번
더 해.

응….

22

피부에 닿는 바람이
괜히 간지럽다.

쿵닥

몇 번 했더니
이제 좀
적응되는 것 같아.

쿵닥...

세이야….

응?

…입 조금만
더 열어줘.

가짜 동맹

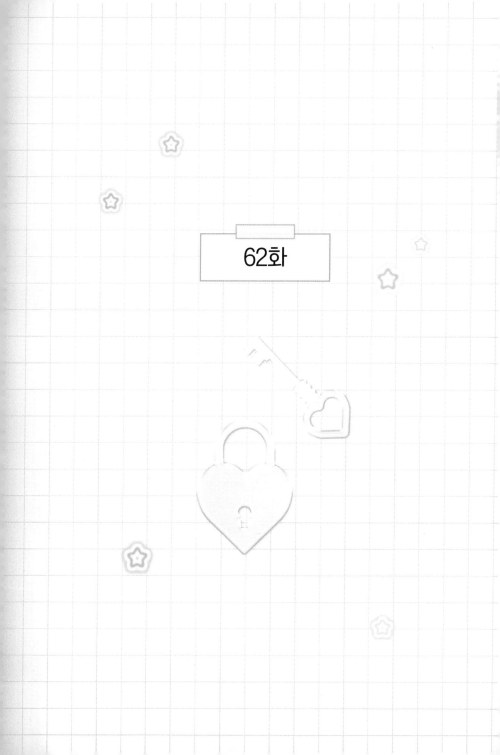

62화

어…?

어….

김재하가
그런 말을…!

근데… 얘 지금
내 대답
기다리는 거야…?

!

다른 건 몰라도,

꼬옥..

이런 건 어느 정도
적응되었다고
생각했는데…

…아니었나
보다.

…잠깐만!
축가 연습은
좀만 이따 가자.

딸꾹

딸꾹.

…미안.

우리 뭔가 입술이
부은 것
같지 않아…?

아주머니랑 아저씨가
이상하게 생각하시면
어떡해?!

딸꾹

언제
가라앉는대?

잘 모르겠어.

천천히 가자,
어차피 이 공원
사람들 오지도
않잖아.

응.

다음엔 더
잘해볼게.(?)

……뭘….

세이야, 집까지 태워다줄게~

괜찮아요, 오늘은 혼자 걸어가고 싶어서요!

꾸벅

그럼 조심해서 가~!

아침에 바다로 출발한다고 했지?

조만간 우리 가족끼리도 여행 한번 가자.

......

후다닥

티 내면 안 돼.

사람이 참 간사한 게,

남부럽지 않게 살고 있다 생각하다가도

내가 갖지 못한 걸 보면 신기하고,

너무 부러워.

좀 늦었네?

본식 드레스
고르고 있었는데
세이 너도 한번 봐주라!

결혼식은 이게 진짜
고민된다니까?

네 새아빠 되실 분은
이게 더 좋으시다는데~
넌 어때?

곧
가족 될 사람이니까
이렇게 불러도
맞는 거 아냐?

예쁘다… 근데
왜 그렇게
이상하게 말해~

……

…그러니까 그게
이상하단 건데.

중얼

나한테 아빠는
하나뿐이잖아.

…아.

미안해,
엄마가 또 혼자 들떠서
실수했나 보다!

가신 줄
알았는데…

멈칫

그래, 너한텐
어색할 수도 있겠다,
앞으론 조심할게!

아…

누군가를 미워하고 싶어도,
미워할 수 없는 기분을
어떻게 설명해야 할까?

좋아하고 싶은 사람을
쉽게 받아들일 수 없는
기분도.

성큼 성큼

다 들으셨겠지?

세이야,
아저씨 갈게!

아저씨가
싫은 건 아니야,
하지만 역시 난…

…아빠
보고 싶다.

내일
재밌게 놀고 와!

영원히
변하지 않을
사람이 필요해.

화났어?

……

ㅋㅋㅋ
ㅋㅋㅋㅋ

네가
계속 물에 안 들어가길래
얘들이랑 장난쳤는데….

아니.

어이가
없어서.

사진
잘 나왔네.

소곤

넌 잘 노네,

그렇게
오기 싫은 티
팍팍 내더니.

음~

맞는 말이라
반박 불가

그래, 재밌네.
덕분에 오게 돼서
고맙다, 장유은~

고마울 것까진….

난 너랑 다르게 고맙다는 말을 아주 잘하거든~

이 ㅅㄲ 또 뭐가 걸려서 비꼬는 거지.

지민아, 나도 사진 보여주라.

......

아예 보내줄까?

툭

툭

밤늦게 비 오는 거 알고 오긴 했지만 생각보다 너무 일찍 오네.

빨리 가자.

그래, 재밌었어!

세이야, 빨리 안 오면 비 맞겠다!

우르릉

어어….

왜 그래?

아, 신발이
완전 뜯어졌어….

아니야,
빨리 가자!

나 잡고 가.

우리 튜브
반납하고 올게.

지저분..

어….

김재하, 빨리
지붕 아래로 가!

다 젖겠다

꼼지락..

발이…

나 가방에
슬리퍼
하나 더 있어.

응?

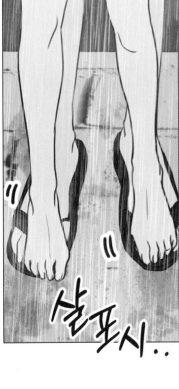

애들 보기 전에
바로 줄 테니까
잠깐 밟고 있어.

자.

아… 고마워.

얜 이런 걸
아무렇지도
않게…

아, 어떡하지.
택시가 안 잡혀.

안쪽으로
들어가

일단
다시 잡아보자.

큰일 났어!

뭐?
우리도 안 잡혀서
너희 오면 물어보려
했는데…!

지금
비가 너무 많이 와서
아예 차량 운행이
힘들대.

이 앞이 완전
물바다 됐어

밤부터
시작될 예정이었던 비가
전국적으로 빠르게
내리기 시작했습니다.

이토록
강한 폭우는 10년 이래로
처음이라고 하는데요—

얘들아,
일단 비 안 맞게
안쪽으로 붙자….

그럼 우리는
집에 어떻게 가?

몰라,
계속 이 상태면—

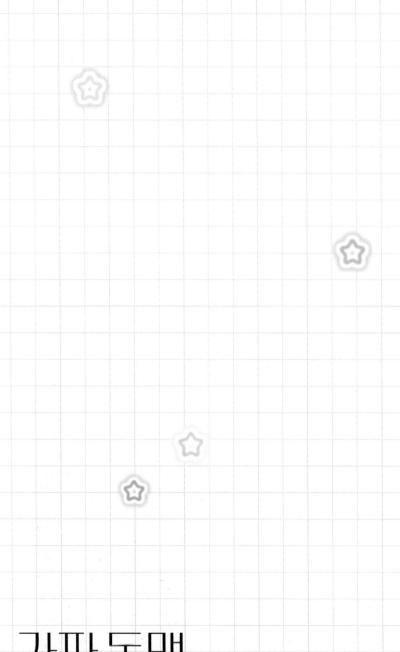

가짜 동맹♡

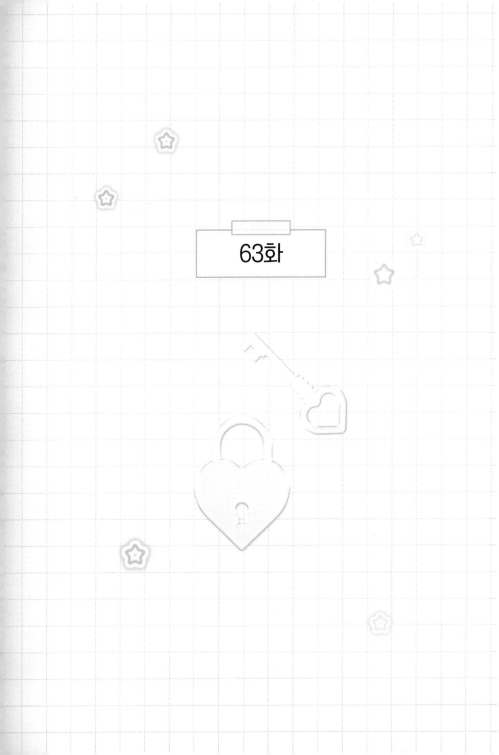

63화

오늘 새벽까지 폭우가 쏟아질 예정이며…

다들 부모님께 연락했지?

어, 근데 숙소도 이미 다 찼는데 어떡하지?

네, 그래서 차가 아예 못 다닌대요.

그러게… 이미 다 급하게 들어갔더라.

싸아아

어?

턴석

너 어디 가?!

좀 전에 급하게 오면서 키링을 떨어뜨린 것 같아. 잠깐만 나 좀…

중요한 거야?

어, 아끼는 거라 지금 찾으러 가야 돼!

44

비 맞잖아.

짜아ㅡ

아….

와락!

잠잠해지면
우리가
같이 찾아줄게.

……

네,
연락할게요.

그래~
지금 나가면
오바야.

내일 아침이면
괜찮다고 하니까
그때,

고마워!

역시 친구들밖에 없어!

쩝쩝…

아…

넌 안 돼.

친구들 앞에선 약속 지키는 중

*4권 249쪽 참조

거기서 그런(?) 행동은 안 할게!

그거 때문에 본 거 아니야.

얘들아, 혹시 우리 할머니 집에서 자는 건 괜찮아?

안 그래도 엄마가 방금 연락하셔서 곧 데리러 오실 거래.

좀 걸어야 하긴 하지만 그래도 가까운 편이야.

어디로 가야 되는데?

재하야.

오, 할머니랑 친해?

글쎄….

쏴아ㅡ

안녕하세요, 할머니.

우비는 이 앞
쓰레기통에
버리면 된다.

소곤

재하랑 진짜
닮으셨다.

소곤

앨범 봤는데
김재하 아버지네
가족분들은
다 닮으셨더라!

얘들아…
조용.

뚜벅

뚜벅

방에 짐이 많아서…
일단 손님방에 있으면
다른 방 금방 치워줄게.

남자애들은
거기서 자면 돼.

감사합니다!

왜 술 냄새가
나시지…

꾸벅

그래

감사합니다,
할머니.

……

끼이익

달칵

ㅋㅋ… 그럼
그만 보고 자자.

난
이불 받아올게,
유은아.

얘가 시켰네.

아무리 봐도 김재하는
이 막내 고모분을
제일 닮았어.

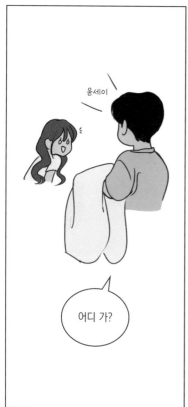

윤세이

어디 가?

베개가 모자라서
할머니께
말씀드리러 가.

근데~
김재하 너
안됐다.

왜?

넌 원래
자기 전에 뽀뽀하는 거
좋아하니까!

잘 때
몰래 와서
하고 갈 정도로~

근데 여기선
하지도 못하고,
조르지도 못하고…!

왜
안 놀리나
했다.

너도 똑같거든.

아닌데?
난 보고만 있어도
완전 만족하는데~?

……

응?
진짜 하고 싶어졌어?

…조르면
해줄 거야?

지금
아무도 없잖아.

흠칫..

음…
지금은…

51

야, 너도 지금
빨개졌거든?!

이제 알아.

또
빨개졌다,
여기.

!

살짝

잘 자.

네, 엄마

뻔뻔한 놈…!

쏴아ㅡ

거기서 너흴 재우려니
걱정돼서 전화했어.

아무래도 할머니가
술을 못 끊으시니까….

불편하지?
아침에 비 그치는 대로
데리러 갈게.

괜찮아요,
할머니께서
잘해주셨어요.

걱정되시면
지금 한번 더
확인하고 잘까요?

…그래,
엄마가 필요하면
바로 전화해.

안 그래도 어머니께
전화드리려던
참이야.

만약 마셔도
난폭하게 굴진 않으시니
괜찮을 거야.

내가 그거 때문에
걱정하는 것 같아?

…비가 이 정도로
내리지만 않았어도
거기서 재우지 않았을 거야.

—당신 어머니는 재하를 싫어하시니까.

딸
꼭...

...대체 내가 뭘 어떻게 더 해야 하니.

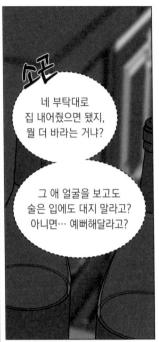

소곤

네 부탁대로 집 내어줬으면 됐지, 뭘 더 바라는 거냐?

그 애 얼굴을 보고도 술은 입에도 대지 말라고? 아니면... 예뻐해달라고?

어머니, 그런 뜻이 아니라...

듣기 싫다!

훈민아, 나도 노력을 안 한 건 아니야.

그런데 재하를 보면 불쌍한 네 동생만 생각나는데 어떡하니.

너 정말 이 엄마 심정을 하나도 이해 못 하겠어?

아…

나중에 다시 거마.

생긴 건 죽은 지 어미를 꼭 빼닮아선…!

끼익.

안 자고
왜 여기로 왔냐?

아래쪽에서
이상한 소리가
나는 것 같아서.

너, 좀 전에 본
공포 영화 때문에
무섭지.

아무 소리도
안 나던데

뜨끔

혹시 무슨 일
있을까 봐 그렇지~

그래서
같이 확인하러
가달라고?

그 둘
이불 가지러 간 거치곤
너무 안 오잖아.

그리고
너네 걱정할까 봐
말 안 했는데,

부엌 뒤편에 쌓인
술병이 비정상적으로
많았어.

그거 때문에
더 불안하다고

···김재하도
분위기가
이상하긴 했지.

… 진짜
잡자는 건 아니고.

유은이는
너무 진지해~

근데 역시 유은이야~
손잡아도 아무 느낌이
없으니까 잘 내밀어주네.

뭐래,
뒤끝이라도
있냐?

아, 근데 너 왜
그건 말 안 하냐?

뭐.

나 피어싱
뺀 지 좀 됐는데.

불쑥

여기

더 낫냐?

안 빼면
별로라는 듯이 말해놓고
좀 서운하다?

주춤

계속…

어?

계속
더 낫다고
생각했어.

저벅

저벅

하…

58

가짜 동맹

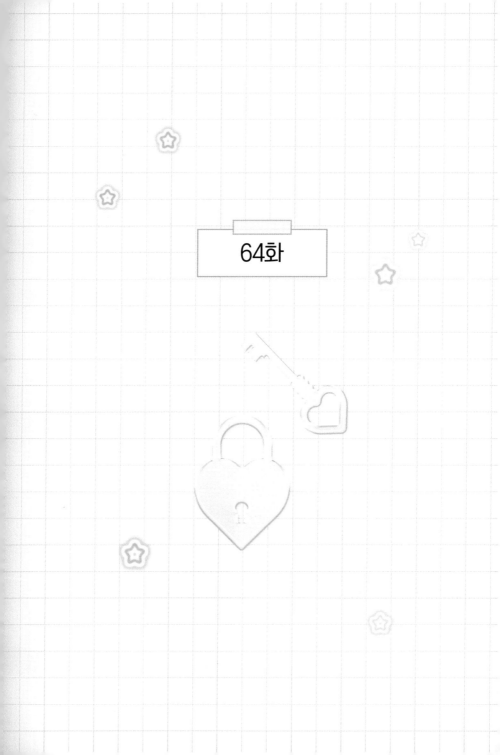

64화

나 또
세게 잡았어?

아니,
그게 아니라…

왜
내려왔어?

저벅
저벅

!

너희가
너무 안 오길래
무슨 일 있나 해서.

응?
별일 없어.
올라가자.

멈칫

…아, 얘들아.
먼저 올라가.
잘 자.

이불 좀
부탁할게.

……

소곤

뭐야, 쟤
왜 갑자기 초조해 보이지…
같이 가봐야 하나?

없겠지~
가자.

무거워

그리고
있다고 해도—

—우리가
관여하면 안 되는 것도
있으니까.

......

팔짱

재하를 보면
불쌍한 네 동생만
생각나는데 어떡하니.

생긴 건
죽은 지 어미를
꼭 빼닮아선…!

너 정말
이 엄마 심정을 하나도
이해 못 하겠어?

미안하다, 얘—
내가 안 마시려고 했는데
습관이 돼서…!

…표정 보니까
다 들어버렸구나?
미안하게, 쯧….

아…
나중에
다시 거마.

괜찮아요!
안녕히 주무세요.

난 너 안다.

재하랑 같이
연예 프로인지 뭔지
나와서 친하다며.

보질 않아서
제옥은 잘 몰라

근데 왜 그런
얼굴을 하니….

께익.

딸꾹

그 애가
입양아라는 소문이 있던 건
이미 알 텐데….

그래, 어렸을 때부터
프로그램을 출연하면서
얻을 수 있었던 건—

소문을
듣긴 했어요.

—말에 가시가 돋쳤는지
판단할 수 있는
능력이었다.

전 자러
가볼게요.

저벅

저벅..

…너도 내가
이상하게
보이는구나?

휘청

다들…

쨍그랑!

괜찮으세요?

윽, 다들 왜
그렇게 이상한 눈으로
날 보는 거야?!

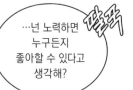

…넌 노력하면
누구든지
좋아할 수 있다고
생각해?

하, 난
어떻게 해야 할까…
그래, 내가 이상한 거지.

난 너랑 다르게
노력해도 내 손자를
좋아할 수가 없는데.

네…?

왜 그렇게
말씀하세요.

취하신 것
같아요.

왜냐고?

꼭, 너 왜
이해하는 것 같은 표정을
지으면서 그런 걸 묻니.

그게
아니라 저는…

알고 싶어?

66

순간
자리를 피해야겠다는
생각이 들었지만

눈을 보자
그 사람이 떠올랐다.

내가 노력해도
좋아할 수 없었던
사람.

대체…

재하를
왜 미워하세요?

싸
아
아

딸꾹。。

… 원하지도
않았던 아이—

할머니, 취하셨어요.

그래… 재하만 없었으면 내 딸이 죽으려고 바다에 뛰어들진 않았겠지.

그게— 꼭, 이유야.

!

아빠가 전화를 바꿔달라시는데요.

…너 안 잤니? 딸꾹

안쪽으로 들어가요.

김재하, 잠깐,

…사실이야.

나 물어보고
싶은 게…!

빠아아..

얼굴이 알려진 이상
소문은 항상
따라붙는 법이다.

왜
이제 와….

좀
오래 씻었어.

나도 어떤 사람들에겐
아빠만 열 명 있는
애가 되었고,

예   았던 ㅇㅅㅇ
             ·실임?

ㅈㅅㅇ 결혼 전에도
계속 만나고 있었다는데

┗ 딱 봐도 그 님
   결혼한 거임

심지어는
이청현의 딸이
되기도 했으니까.

그러니까 이것도
그저 지나가는
수많은 루머 중
하나일 뿐이라고…

그렇게 안일하게
여겼던 것이다.

입을
다물어야 할까?

어떤 일이 있었든
신경 안 쓴다고
얘기해?

일단 진정한 뒤에
어떻게 할지
정하자.

내일 아침이 되면
김재하를
찾아가는 거야.

죄송해요,
엄마.

네가 왜 나한테
미안해하는데…
너야말로 괜찮아?

…재하야?

빠아ㅡ

엄마,

엄마는
제가 어릴 때 겪은 일이
제 약점이 될까 봐
걱정하셨지만…

솔직히 전
단 한 번도 부끄럽게
생각한 적이 없었어요.

저한테는 그저
운이 좋고
감사한 일이었거든요.

재하야….

그런데 세이가 저의
그런 면까지 안다고
생각하니까 정말…

비참해요.

싸아아..

몰랐는데
그게 진짜로
내 약점이었나 봐요.

짹 짹‥

산책하면서
얘기하자고
해야겠다.

어젠
잘못 생각했다.

어떤 말을
해야 할지가
중요한 게 아니었다.

신발도
없어.

전화도
안 받고...

부웅

가장 중요한 건 역시
네가 괜찮은지
살펴보는 거였는데.

아주머니,
재하가
안 보여요!

어떡해요…
재하가 갑자기
사라졌어요!

죄송해요,
제가 먼저 재하를
살폈어야
했는데…!

세이야, 진정해.
네 잘못이 아니야.

재하에게
대충 들었다.

정확히
어떤 일이 있었는지
말해줄 수 있겠어?

혹시
오해하고 있는
부분이 있다면,

그 애 부모로서
얘기해주고 싶다.

김재하는 한여름에
아저씨네 집으로
왔다고 한다.

74

그해 여름이
오기 전,

맴—

맴—

아저씨의 여동생,
그러니까 김재하의 생모는
어느 날 갑자기 자취를 감췄다.

그리고 몇 년 뒤
기사에서
소식을 들려줬다고 한다.

기사에선 홀로 아이를 키우다가
생활고 때문에
스스로 생을 마감했다고 나왔는데

정확한 이유는
아무도 모른다고 했다.

그 사람이 빠져 죽은 장소와
멀지 않은 곳에
김재하가 남아 있었다.

오지 않을
그 사람을 기다리며.

"처음부터
우리 아들이 될
운명이었던 거야."

그 일에 연관된
그 애의 잘못은
하나도 없다고 했다.

헉

헉

엄마.

떠나갈까.

우리 엄마를 보면
점점 더 확신이 들어.

사람 마음은 진짜
쉽게 변하는 것
같아.

쉽게 사랑하고…
쉽게 떠나고…

아,
재미없는 소리 해서
미안.

그런 말은
하지 말았어야
했는데.

풍덩!

그런 짓은
하지 말았어야
했는데.

이번 일로
두 분 다
실망하셨을 거야.

촬영 때마다
잘하려고
얼마나 노력했는데…

함부로
조언하지 말았어야
했는데.

조르는 법보다
눈치 보는 법을
먼저 배웠을 너에게,

왜 나 때문에
이렇게까지 하냐는 말은
앞으로 하지 마.

아.

신발이
너무 커서
걸리적거려.

김재하
거라…

널 만나면
무슨 말을 해야 할지
아직도 모르겠다.

네가 나를 이해하고
내 상처를
보듬어줄 동안,

나는 네 상처를
조금도
눈치채지 못해서

그 와중에 너를
잘 안다고 생각했던 내가
너무 싫어서

너무 바보 같아서

하지만 그럼에도
너는 나를,

멈칫

첨벙..

세이야.

김재하,
너는 나를…

찾았어,
네 키링…!

계속
소중하게 대해줄 게
뻔해서.

하아..

하아..

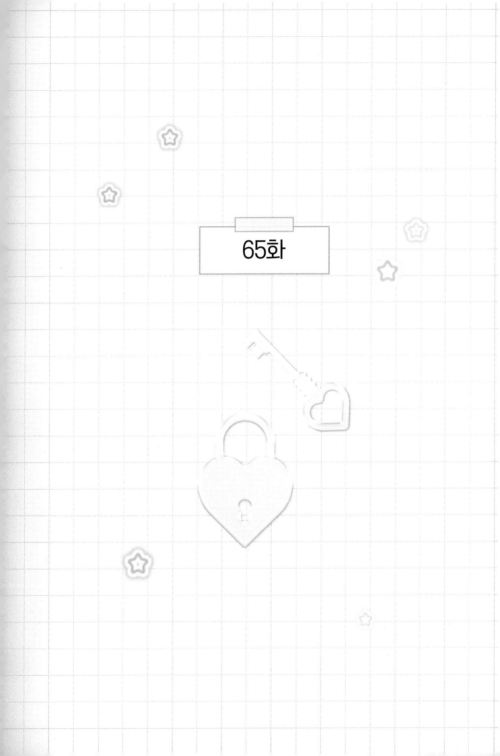

65화

저벅

저벅

멈칫

왜 울어?

나는… 흑,

너한테 무슨 일이
생긴 줄 알고…!

이른 아침이라
그냥 혼자
찾으러 왔어.

톡이라도
남겨놓을걸,
미안.

제발
미안하다고
하지 마!

그런 말 할
사람은 나야.

내가 오해할까 봐
너희 아빠가
다 말씀해주셨단 말이야.

아무것도 모르면서
그동안 바보같이… 흑,
쓸데없는 소리만 했어.

너한테
상처 될 수 있는 짓도
너무 많이…

윤세이.

이거 봐,
나 멀쩡하잖아.

네가 일부러
그런 게 아닌 거
다 아는데, 뭘.

다 괜찮아!

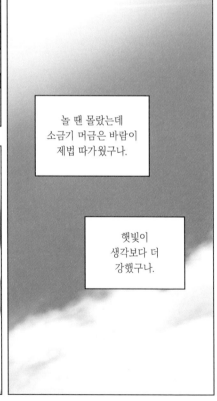

놀 땐 몰랐는데
소금기 머금은 바람이
제법 따가웠구나.

햇빛이
생각보다 더
강했구나.

팍

그런데도 넌
내 물건 하나 찾겠다고
긴 시간을 돌아다닌 거구나.

상처 줬다면
미안해.

괜찮다니까.

어젯밤에
그 일 있고 나서
너한테 괜찮냐고도
못 물어봤잖아….

훌쩍

너나 나 걱정해서
억지로 괜찮다고
하진 마!

피부가 타서
빨개졌어.

사실 처음엔
나도 좀 당황했어.

너한테 내 가정사를
들키니까 좀…
부끄럽기도 했고,

무슨 말부터
해야 할지
모르겠더라.

근데 한참을 생각해보니까
그런 걱정은
의미가 없겠구나 싶었어.

숙여줄게

네가 그런 거 가지고
이상하게 생각할 애가
아니란 걸 아니까.

김재하!

윤세이,
네 모자!

!

야!!!
바로 들어가면
바지 다 젖잖아!

아, 김재하
진짜…!

88

지금은
아니라는 걸
알아.

이젠 진심으로 날
소중히 대해주신다는 걸
알거든.

이것도
네 덕에 알았어.

응?

기억나?

우리 길 잃고
동굴에서
비 피했을 때.

그때 네가
힘든 게 있으면
부모님께 꼭
말씀드려보라고 했어.

한번
말해봐!

그래서 용기내어 말해봤는데
엄마, 아빠가 정말 미안해하시면서
걱정해주시더라.

그런 반응은
상상해본 적 없었는데

그때 이후로
여행 다니면서
대화도 더 많이 하고

나도 부모님을
더 이해해보려고
노력했던 것 같아.

아…

너는… 어른 같아,
그런 생각을
어렸을 때부터 하고.

나는 너랑 다르게
완전 애 같은데.

왜 그렇게
생각하는데?

싸
아
아
—

괜찮은 척했지만
사실 난 늘…

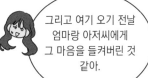

그리고 여기 오기 전날
엄마랑 아저씨에게
그 마음을 들켜버린 것
같아.

그것도 괜히
툴툴거리다가…

엄마의 결혼까진
바란 적이 없었어.

아~
결혼식 일주일 남았는데
앞으로 두 사람을
어떻게 대해야 할지
모르겠어!

이렇게
하는 건
어때?

응?

어머니,
정신이 드세요?

아….

술을 또
엄청 드셨더라고요.

그렇게 계속 드시면 현정이도 슬퍼할 텐데요.

어제 일은 내 실수였다… 술을 괜히 마셔가지고.

그 앤 괜찮대냐?

네, 재하는 지금 세이랑 같이 있다고 하네요.

저도 어제 어머니 마음 배려하지 않고 재하를 챙겨달라고 부탁드려 죄송했습니다.

어머니는 항상 제가 책임감으로 재하를 입양했다고 생각하셨죠.

하지만 어머니… 이건 꼭 말씀드려야 할 것 같습니다.

물론 처음은 그랬습니다만 함께 지내는 날이 길어지면서 생각이 바뀌더군요.

어…?

현정이를 동생으로서
아끼고 그리워하지만…

그런 감정과는 별개로
재하가 정말
소중해졌습니다.

사실 저희도 아직까지
재하를 어떻게 대하는 게
가장 좋은 방법인지 잘 몰라요.

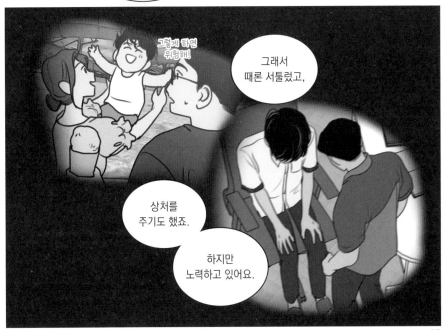

그래서
때론 서툴렀고,

상처를
주기도 했죠.

하지만
노력하고 있어요.

96

보기 좋다고.

치카

치카

…아~

어제 일은
미안하다….

괜찮아요,
재워주셔서
감사했어요.

건강하세요,
할머니.

……

저 잠깐
통화 좀 하고 와도
될까요?

어웅-

그래라.

98

민석 아저씨가 왜 갑자기 전화하셨지…?!

아직 좀 어색한데…

네, 아저씨.

세이야, 안녕. 음… 혹시 기차표 구입했니?

아뇨…?

그러면 아저씨가 거기로 데리러 가도 될까?

주절

마침 근처에서 일이 있기도 하고 학생들끼리 기차 타고 오면 힘들 것 같아서….

주절

부담스럽다면 거절해도 된다!

아… 그게 아니라요, 제가 재하 부모님 차를 타고 가기로 해서요.

마음은 정말 감사합니다!

……

세이야, 이제 출발하자!

네~ 지금 갈게요!

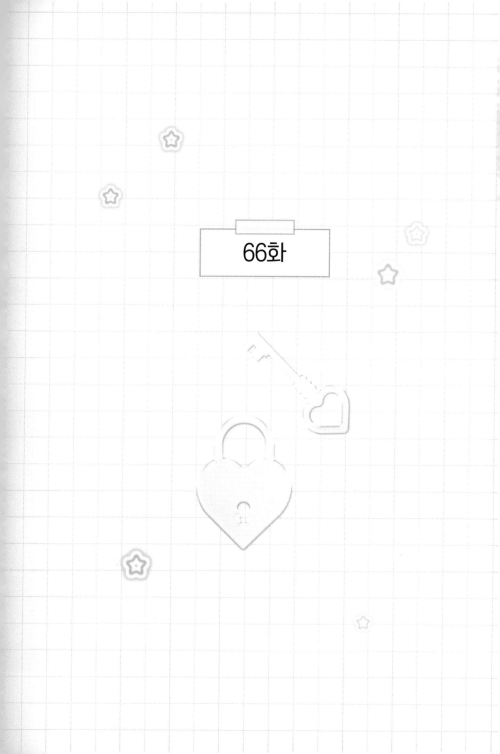

66화

전 여기서
내려주세요!

잘 가,
유은아!

감사합니다―

!

저도 여기서
내릴게요!

너희 집
여기 아니잖아.

너 뭐하냐?

나만 저 사이에
남아 있으면
어색하니까~

그래, 그럼
다리 아프겠지만
걸어가든가.

야, 난 그래도 네 무릎에
앉을 수 있을 정도론
친해졌다고 생각하거든?

ㅅㅂ 네가
내 무릎에
왜 앉아?

쟤네
엄청 친해졌네.

차라리
너랑 가는 게
낫지.

말을 해도
꼭…

응.

다들 전부터
알던 사이 같은데

103

세이야, 오늘 엄마 쉬신댔지?

?

네.

그럼 두 사람 조금만 고생 좀 더 해줘~!

부웅

자~ 커튼 걷을게요!

촤악

첫 번째 축가 의상 후보는 귀여운 세미 웨딩룩!

흰색을 입으라고…?

두 번째는 음… 그냥 웨딩룩!

세 번째는 뭘로 하지?

104

또 입어요?

그치만 최종 결정은 다 같이 있을 때 하면 좋잖아.

마침 다 모인 김에 해결하자~

첫 번째 옷은 학생에게 너무 짧다.

얘들 여행 다녀왔는데 피곤하겠다.

이번엔 이거 입어볼래?

축가 의상은 전에 다 정한 거 아니었나….

*1권 54쪽 참조

벌컥

그리고 전부 화려하더니 마지막 의상은 왜 교복이야.

피곤..

마지막 의상으로 갈아입음

쓱

김재하, 이쪽으로!

자, 네 가방!

우리 또 갈아입게 하기 전에 몰래 빠져나가자!

내 뒤에 붙어 있어

여기서 어떻게 나가게.

귀 대봐, 내가 작전을 세웠는데…

보내줘?

…응, 가고 싶어….

군말 말고 내가 고른 의상으로 입겠다고 하면 보내줄게.

그건 비밀이지~

의상이 뭔데요?

야, 그냥 입는다고 해!

그럼 우리 집으로 가 있을 테니 어른들은 천천히 놀다 오세요!

그래~
약속한 거다?

너무 섣불리
결정하는 거
아니야?

공포 영화 볼까
우리?

아, 세이야!
약속 하나만
더 하고 가.

내일 저녁은
너랑 나랑 세연이
이렇게 셋이 먹는
걸로.

네가 좋아하는
식당 예약해뒀어.

다른 사람은
안 부를 거야.

스케줄
없어?

미뤄도 된대서
미뤘어.

…엄만
바보야.

좋아할 줄
알았는데

또 내가 뭐
실수했나?

좋다는
의미야.

엄칫

으,
엄마 두고
바람피운 놈이다.

…이리 와,
빨리 가자며.

잠시만.

이 개자식!
우리 가족은 이제
너보다 잘살 거야!

펑!

아야….

괜찮아?

저벅
저벅

그러니까
빨리 가자니까.

다치지도
않았어.

그것도 그런데
저 사람은…

아, 그거…

그것도
이 한 대를 끝으로
신경 안 쓰기로
마음먹었으니
걱정 마!

네가
아침에 바다에서
해준 말 덕에
이젠 겁나지도
않는다고!

응?

살랑..

네가 바다에서
한 말…

사실…
그 말에 대해
얘기하려고 빨리
나오자고 한 거야.

둘만 있을 때
하고 싶어서.

난 그런 말을
살면서
처음 들어봤어.

싸아아

괜찮은 척했지만
사실 난 늘…

엄마의 결혼까진
바란 적이 없었어.

그리고 여기 오기 전날
엄마랑 아저씨에게
그 마음을 들켜버린 것
같아.

그것도 괜히
툴툴거리다가…

아~
결혼식 일주일 남았는데
앞으로 두 사람을
어떻게 대해야 할지
모르겠어!

이렇게
하는 건 어때.

응?

예의만 차리면
되잖아!

뭐?!

네 말처럼
너도 너를
가장 우선으로
하란 뜻이야.

무리해서 잘 지내려고
하면 피곤하니까

너 진짜
어렸을 때랑
변한 게 없구나.

난 그래도
되도록이면
잘 지내고
싶은데….

꼭
좋아해야 해?
예의만 차려

아, 생각해 보니
나도 어렸을 때랑
변한 게 없네.

110

왜 나 때문에 이렇게까지 하냐는 말은 앞으로 하지 마.

너도 너 자신을 제일 소중하게 대하란 말이야!

다정해.

난 그냥 내가 좋으면 계속 좋아!

네 그런 점 덕에 우리도 친해진 거잖아?

그럼 그냥 네 선택을 믿고 하고 싶은 대로 해.

다만 네가 무리하지 않는 선에서만.

가장 중요한 건 너니까

113

응, 나도.

또 이렇게 뛰면 숨차

나 이제 집에 가서 하고 싶은 게 생겼어!

저렇게 좋을까.

참, 세이가 좀 전에 무슨 얘기 했어?

자기 데리고 구석으로 가던데.

아저씨, 저 드릴 말씀이 있어요.

"그게 그 아이를
가장 빛나게 해."

"세이는
사랑이 많은
아이야."

아, 난…

김재하가
너무 좋아.

꽈악

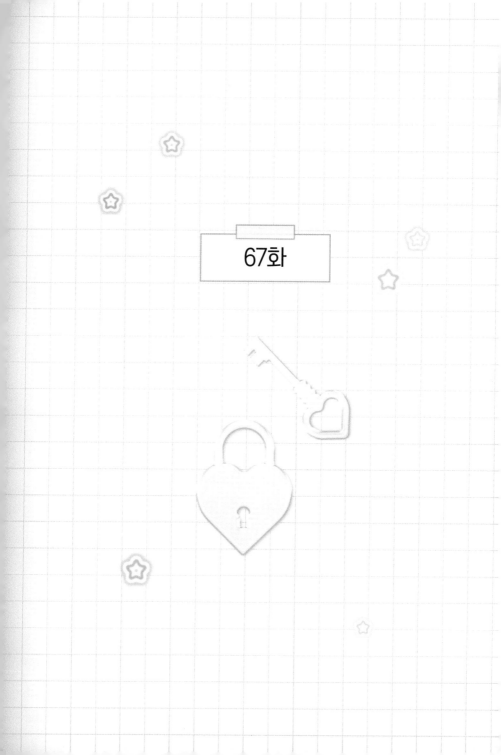

67화

유은이 왔어?
집 앞에서 내렸다면서
왜 이제 들어와.

미안, 엄마.
친구랑 오느라.

얘기하면서
왔구나~ 세이?

근데
세이는 이쪽
안 살지 않나

아니,
세이는 아니고…

그럼 이
지민이라는 친구?

번쩍
번쩍
지민이
??

? 뭐야,
이거.

아이고, 끊어졌네.
무음이라
못 봤나 보다.

이 ㅅㄲ 언제
바꿔놓은 거야?

원래
<원지민>이라고
저장해놓음

차라리
너랑 가는 게 낫지.

그때 바꿨네.

지민이랑은
친해?

배터리 나갔어.

유은이

왜 전화함

까
똑

심심해서

까
똑

하…

어, 좀 친해.

아, 난…

김재하가
너무 좋아.

꽈악..

세이만큼은
아니고.

정말정말
좋아.

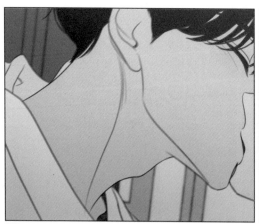

미안, 미안해…! 괜찮아?

김재하, 나…

?!

꽈악!

왜 그래…?

꼬르르륵~

너무 배고파….

일단 뭐 좀 먹자.

응….

영화 보면서 먹을까?

위험한데 그냥 내려오면 안 돼?

조금만 기다려봐.

엄마가 다이어트 때문에 이런 데에 간식 자주 숨겨놓거든!

특히 비싸고 맛있는 간식!

전부터 그런 높은 곳은 왜 이렇게 잘 올라가는 거야….

의자 밟고 올라가면 되지~

내려올 때 위험하잖아.

아.

픽

뒤적 뒤적

쿵!

너 뭐 해?! 어떻게 내려오려고?

봐, 김재하… 이러니까 걱정이 없지!

무슨 일 있어도 이렇게 항상 네가 달려오니까.

힝칫..

전에 청소하다
사다리 부서졌을 때
나 내려줬던 것처럼!

그리고―

이 정도는
그냥 점프해도
내려올 수 있거든.

근데 상자에
간식이 없더라.

윤세연이
다 먹은 게
분명해

131

너 때문에
더 배고파졌는데
어떻게 책임질래?

그게 왜
나 때문이야.

왜냐면
안 그래도 배고팠는데
네가 현관에서 너무…

알았어,
미안해, 내가.

프느즘 글르?
(편의점 갈래?)

이따 저녁 먹어야 하니까
그건 좀 그렇고… 아마
내 가방에 간식 있을 거야.

원래 항상
넣고 다녔는데.

내가 꺼내올게!
너 가방에 간식도
넣고 다녔어?

좀.의외인데?

가끔 네가
먹기도 했잖아.

그게 언제…

*1권 105쪽 참조

펵!

휘청~

콰직.

그때 부딪혀서
깨졌나 봐.

배고플 때
먹으려고
했는데.

그럼
이거 먹어.

지민이가
준 거라 아까워…

원래 모양

·····

응?

133

하하…

윤세이,
영화 재생해?

이제 알았다!

!

그것도
네가 준 거였어!

너 진짜
항상 내 옆에
있었구나?!

뭐가…?
갑자기 왜 그래?

부비적

정말로
네가 있어서
다행…

아니,
행운이야!

......

하하하—
쭉 궁금했던 일의
답을 찾아서 그래!

생각보다
훨씬 전부터 나한테
잘해주고 있었네?!

애들은
잘 있으려나?

그럼요.

좀 전에 본 두 사람이
즐거워 보여서 저까지
기분이 좋아지던데요.

청춘이잖아.

하긴… 나도
그때가 지나고 나서야
알았지.

살랑..

아, 내가
스치는 모든 순간에
설레었구나,

또
뭐가 그렇게
부끄러워?

...이런 건
어쩔 수 없어

정말 사랑스럽고
소중한 시간을
보내고 있었구나, 하고.

그나저나 김재하~
이런 깜찍한 걸
숨기고 있었다니!

우물..

내가 좋아하는 젤리도
가지고 다니고~
비밀스러운 사람이야.
아주?

이게
무슨 비밀이야.

음, 그런가?
그럼 이제
너랑 나 사이에
비밀은 없는 건가?

……

그래…
있을 수도 있지.

궁금한데 비밀
말해주면 안 돼?

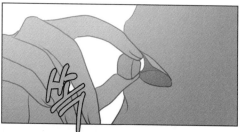

상 줄게.

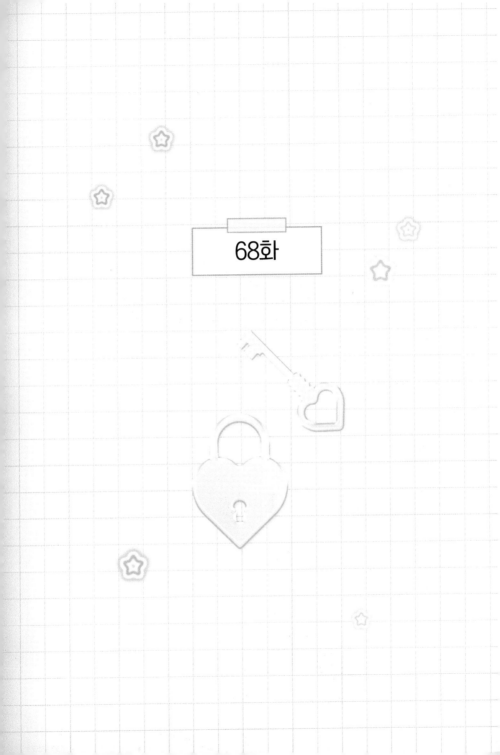

68화

어떤 상 줄 건데.

음, 바로바로…

항상 미리 함

숙제 못 했을 때 내가 대신해주거나

가능…?

다리 아프면 업어주거나

……

보고 싶다고 하면 달려가기 등등.

언제 어디서든 나를 1회 이용할 수 있어!

윤세이 1회 이용권!

빠밤

별로…

필요 없을 것 같은데.

…뭐?

보고 싶을 때 오면 좋긴 한데

너만 괜찮으면 내가 가도 되고…

별로 널 이용하고 싶지도 않고…

아무튼 필요 없습니다~

넌 방금 좋은 기회를 놓친 거야!

근데 우리 최종 축가 의상 뭘까?

글쎄… 오늘 입은 것 중엔 없었으면 좋겠어.

신랑 하민석 ♥ 신부 진설아

응, 유은아.

어, 사람 진~짜 많아!

넌 뭐 해?

학원 가려고 버스 탔어.

혼자 가?

당연히
혼자 가지.

장유은이다.

저벅

어?

저벅

같이 가겠네.

…세이야,

나중에
다시 전화할게.

그래!
학원 잘 다녀와.

뭐지,
옆에 지민이
목소리가…

그나저나 진짜 교복을 최종 의상으로 입게 되다니….

나머지 축가 의상보다 훨씬 낫지 않아?

다른 것들은 더 입기 싫어.

사랑 라

그 정돈가?

어차피 나중에 입을 거라고 생각하니까 난 그렇게 싫진 않던데.

어…?

그나저나 김재하, 이거 봐봐.

이게 왜?

생각보다 담담하네. 이거 네가 좋아하는 게임이잖아.

새롭게 개편된다는데 왜 아무 반응이 없어?

예~전에 우리 동맹 맺은 것도, 네가 저 게임 하러 피시방 가야 되니까 맺은 거라며.

아… 갑자기 보니까 헷갈려서.

…그래? 그럼 저 캐릭터 이름이 뭐야?

......

…안 한 지 오래돼서 기억이 잘 안 났어.

캐시! 왜 몰라!

와, 얘 웃기는 사람이네, 쟤 이름 캐시 아니야!

너 이 게임 모르지?!

난 네가 좋아한다고 해서 다 기억했는데…!

어디 가, 김재하 너 다 들켰어.

하하하, 나랑 그렇게 사귀는 척이 하고 싶었어?ㅋㅋㅋ

이 사기꾼아!

......

털썩

그래, 거짓말했다—

145

맞아♥

하하하,
또 속았대요!

신부 대기실
갔다 올게~

......

오.

......

146

곧
결혼식 시작인데
여기서 뭐 해?

아이스크림
다 먹고
들어가려고.

그나저나
축하해, 언니.
아주 달달하더라.

…응?

너…
설마 봤어?!

응,
재하 오빠도
알아.

아무 말 없이
이거 사 주던데.

비밀로 해줬으면
좋겠나 봐

김재하는
뭐래?

제발
비밀로 해줘….

147

네네~
암튼 응원하는 조합이
잘돼서 좋아, 언니.

이채 이모한테 부탁해서
축가 못 한다고 해달라 한
보람이 있네.

?

응?

사실 내가
하지 말아 달라고 했거든,
축가.

축가 말이야...
생각해봤는데

너희 둘이서
불러주연 안 되겠니?

엄마, 전에 축가는
이채 언니가 부를 거라고
하지 않았어?

이채가
개인 사정으로
못 하게 됐거든.

이채(26)
인기 가수 겸 배우

148

그게 무슨 말이야?
이채 언니한테
부탁했다니?

세연아,
알려주고 가!!

그럼 지금부터
신랑 하민석 씨와
신부 진설아 씨의
결혼식을 시작하겠습니다!

신랑 입장!

내 곁은 항상
익숙해지지 못할 것들
투성이였다.

그 사이에서 혼자
영원히 변하지 못할까 봐
두려운 적도 있었다.

늘
서툴러서 미안해.

더 노력할게.

나는 항상
좋은 사람이
되고 싶었고,

그게
큰 욕심이었다는 것도
최근에 깨달았다.

우리 곧 축가야.
앞쪽으로 가자.

응.

그런 내 옆에
늘 네가 있었다.

잠깐만
나 신발 끈이…

천천히 해,
기다릴게.

네 곁에선
힘들 때
멈출 수 있었고

짜악..

다시 더 힘차게
달릴 수도 있었다.

다 됐어,
가자.

그래,
그거면 더 이상
모든 게 두렵지 않았다.

응.

자, 이제
축가 하겠습니다!

신부 딸이랑 친구가
축가 하나 봐~
귀엽다!

나 좋아해서
피시방 간다고
거짓말한 재하야^^

소곤

사람들 많아서
부담스러우니까
손잡고 부르진 말자.

윤세이!

여전히
많은 사람들 앞에선
남이지만

아~
안 들린다~

더 이상
남이 아닌 사이.

하지만 재하야,

자~ 두 분
빨리 나와주세요!

ㅋㅋ
ㅋㅋㅋ

사실 나도
너에게 말하지 못한
비밀이 있어.

그게
비밀을 공유하는
우리,

윤세이와 김재하다.

중학교 시절,
싸우고 멀어진 우리가
다시 만났을 때를 기억해?

각자 부모님의
지나친 간섭을
피하고 싶은 날엔

우리 둘이 만나는 날로
말을 맞추자던 동맹도
그날 맺었잖아.

나는 좋아하는 사람을
만나러 가기 위해,
너는 피시방에 가기 위해.

내가 왜
그런 동맹을 제안했는지
넌 모를 거야.

153

이상하게도
나는 네가
너무 반가웠어.

이젠
안경 쓰나 봐.

오늘 수고 많았고,
우리 앞으로
잘해보자!

세이는
어디 가?

저 바로 또
학원 가야 돼서요.

선생님,
안녕히 가세요.

그날… 싸울 때
내가 한 말들은
진심이 아니었다고.

사실 널 만나면
전하고 싶은 게
너무 많았어.

전에 수진이가
우리 사귀냐고
물어보더라ㅋㅋ

사실도
아니잖아.

네가 한
그 말이,

나를 쳐다보던
그 얼굴이

신경 쓰지 마.

더 이상 내가
특별한 사람이 아니라고
말하는 거 같아서

나도 모르게
미운 말을 했다고.

그런데 막상 직접 보니
하나도
생각이 안 나더라.

오히려 전처럼
돌아갈 수 없을 것 같아
겁이 났어.

끼익..

그래서
그냥 뛰었어.

전처럼 지내는 게
어렵다면
처음부터 다시
시작하고 싶었어.

하아..

특별한 사람이
아니어도 좋으니
너랑 대화라도
다시 하고 싶었어.

돌아보지 않아도
좋아.

왜냐하면
그냥 난…

시도라도
해보자.

하아..

김재하!

네가
보고 싶었으니까!

그래,
그때 한 말은
다 거짓말이었어.

하암

사실 그때
좋아하는 사람도
없었거든!

짜아아...

우리
동맹 맺을래?

그러니까 이건…

가짜 동맹♡

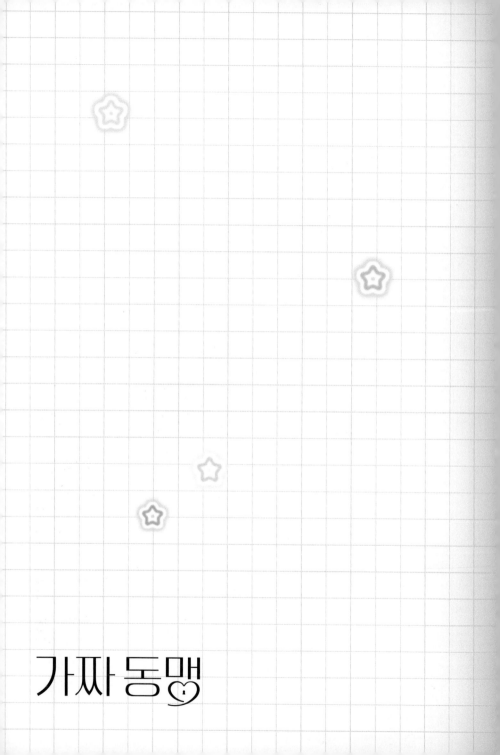

가짜 동맹

외전 1화

원지민과 장유은 (1)

쨍~

진짜
학원 가기 싫다.

빙수
먹고 갈래?

한국 고등학생의
하루 일과란 대부분
학교-학원-집의 반복이다.

나 근데…
학원에 걔랑
그냥 사귈까?

그냥 사귀어!

목표는 오직
공부 열심히 해서
원하는 대학에
들어가기.

물론
그게 아닌 사람도
존재하긴 했지만

난 그 축에
속하지 않았다.

가장 중요한 건
내 행복.

사각

사각

다른 일들은
입시 이후에 해도
늦지 않아.

그러니까 난…

나와는
다른 세계의 사람.

자신보다
소중한 게 있는 사람의
생각이 궁금하다.

그 마음이
진심으로 궁금하다.

넌 뭐 해?

학원 가려고
버스 탔어.

원지민이다.

혼자 가?

저벅
저벅

당연히
혼자 가지.

어?

같이 가겠네.

장유은이다.

세이야…
나중에 다시
전화할게.

어디 가냐?

학원.

근데 너
교복 입었네.

응, 왜 좀
괜찮아 보이ㄴ…

너넨 벌써
개학했구나?

수업
일찍 끝난 점
축하한다

꼭 상처를
건드려요….

자리 생겼다.

벌떡

팡

팡

앉을래?

할 말
생각 안 남

샥

오예

본능적으로
앉음

아, 얘가
있었지….

음~

끼익.

여기…인데 우리 같이 내리네.

너 이 동네 학원으로 옮겼나 보다?

여기 근처 사진관에서 학생증 사진 다시 찍으러.

그…

어, 넌 뭐 하러 왔는데.

네가 찍는다는 데가 여기야?

급한 일로 외출 중 5시에 돌아오겠습니다
Sorry

……

…너 학원 몇 시까지 가.

세 시. 나 간다?

그럼 시간 많이 남았네.

혼자 안 기다려도 되겠다

나 복습하려고 일찍 나온 거야.

카페라도 가서 기다리든지, 아니면…

169

온 거 아까우니까
저기서라도
사진 남겨라ㅋㅋㅋ

…아~
그거 좋지.

딸랑

아니,
너만 찍으라고!
야, 원지민!!

찾아봐,
어떤 남자가 저기에
혼자 찍으러
들어가는지.

넌 나를 꼭
이겨 먹어야
기분이 풀려?

네가
온 거
아깝다며~

근데
학생증 사진은 왜
다시 찍어.

아, 잃어버려서
재발급 받아야 하는데
원래 사진이…

재잉

실물보다
못 나왔지 않냐.

쓸 때마다
쪽팔려

꼴값….

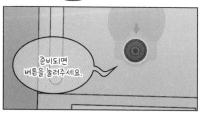

준비되면
버튼을 눌러주세요.

그래서 오늘은
교복도 잘 챙겨입고
제대로 찍으려고 했는데─

─어때, 좀 더
단정해 보이지.

끼익

교복 좀
잘 챙겨입고
물어봐.

헤벌레~

양아치같이
안 보이려면….

단정깔끔 ✦✦

ㅁ친,
뭔 개소리야.

게다가
친구 남친인데

왜 귀가
간지럽지?

이게
양아치라고?

항상 생각했는데…
너 재하 같은 스타일을
좋아하는 거야?

하긴
걘 교복 입을 때
넥타이까지 아주 꽉
졸라매더라.

숨이 막히겠어.
숨이~

톡톡

그게 더
나아 보이는 줄 알고
피어싱도 빼고
단정하게 왔는데
별로라고 하니
서운하네~

피어싱은 막 혀서
다시 뚫기도
애매하다고

전에 피어싱 뺀 게
더 낫다고 했잖아.

그리고 네가 빼놓고
왜 내 탓 해,
내가 강요했냐?

그건 아닌데~
아, 나도 몰라.

그땐 잘 보이고
싶었나 보지.

허…
매주겠냐?

뭘 또
웃고 있어.

ㅋㅋㅋ 그러게.
근데―

너도
웃고 있잖아.

단정해 보이고 싶으면
이거나 좀
똑바로 매.

…깜짝아.

매주는 줄.

어…?

자~
이제 찍자.

포즈 뭐 할까.

왜 내가
이거 찍자고 했을 때
거절 안 했냐.

아, 근데 장유은.
나 궁금한 게 있는데,

나도 몰라.

띠링

사진 촬영이
시작됩니다.

그냥
그러고 싶었나
보지.

찰칵

175

내가
왜 그랬지?

다시 바꾸는 거
깜빡했지.

나 이제
학원 간다,
잘 가.

어?!

야, 장유은.
진짜 가?!

카페도
같이 가준다며?!

허….

지가 안 바꿨으면서
왜 당황해.

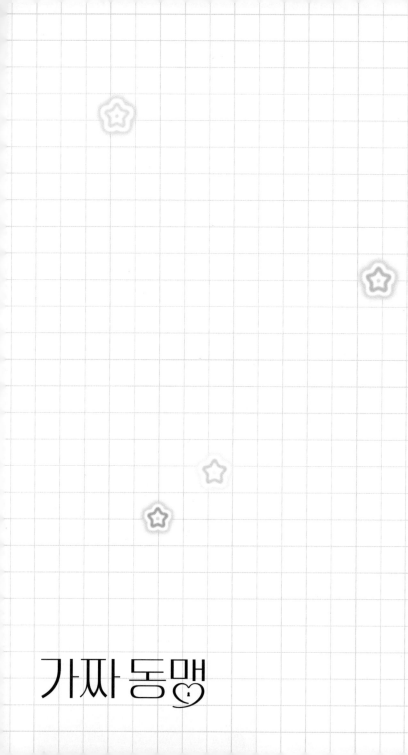

가짜 동맹

외전 2화

원지민과 장유은 (2)

바꿔놓을 걸
그랬어.

그냥 바꿀 걸
그랬다고.

원지민.

흠칫..

손 좀
덥석덥석
잡지 마.

깜짝
놀라잖아.

그게
놀란 거야?

하하하하!

유은아, 유은아~
그런 거였어?
ㅋㅋㅋ

그동안 손 뺀 게
부끄러워서
그런 거라니ㅋㅋㅋ

내가 언제
부끄럽다고 했어.

당연하지,
항상 놀란다고.

아, 그럼
그게…

뭘 또
자꾸 처웃어.

아니면
말고요ㅋㅋ

유은아, 안녕!

누구야?

학원 친구

옆에 누구야?

아, 얘는
나랑 친한…

아~
대충 알겠다.

아무튼 빨리 와,
우리 오늘
쪽지 시험 있잖아.

…친구가
오해를 했을 수도
있겠네.

좀 떨어져,
이런 것 좀
하지 말고.

오해하든 말든
내 알 바는 아니고…
이제 학원이나 가.

시험 잘 봐.

빙글

어,
야, 원지민…

증사는
넥타이 똑바로
매고 찍으라고.

탓

탓

탓

탓..

지민이

더 빨리 뛰어라
지각 안 하려면^^

왜 이렇게
늦게 왔어?

자, 지금부터
시험지 나눠줄게.

사진은
알아서
잘 찍겠지?

…나도
잘 보고 싶다고.

"시험 잘 봐."

학생,
그거 매줄까?

아, 넥타이요?
제가 다시
맬게요~

저
잘 매거든요.

만지작

드디어 끝났네.

새로 온 쌤 괜찮은 것 같아.

와굴

와굴

원지민, 집에 안 가? 누구 기다리냐?

아니.

난 또~ 가만히 서 있길래 걔 기다리는 줄 알았네.

장유은.

걔 우리 학원 그만두고 다른 학원 다닌다.

아, 그래? 맨날 너랑 쑥덕대더니 언제 그만뒀대.

서운하냐?

ㅈㄹ.

낮에도 봤고 지금도 보이는데 서운은 무슨.

장유은.

여기서
환승하냐?

......

또
대답 안 하네.

새로 다니는
학원에선 적응
잘하고 있지?

너 오늘 시험인 줄
알았으면
빨리 보내줄 걸
그랬…

야, 내가
뭘 했다고
그래!!!

울먹

울먹

기다리는 거
맞았네!
장유은 우냐?

너 안 갔냐?
얘 안 울어…

어? 유은아,
해명 좀 해봐!

수군

수군

울었나 봐.

스브스브스브

아니에요!
그게
아니라고요!

그냥 내가
다른 데로
갈게….

그래….

수

얘가 그런 거
아니에요….

허….

그걸 또
해명하고 있네

가자.

뭐 하는 거야,
혼자 갈 수 있어!

꾸물대고 있는데
어떻게 기다려.

야,
사람들 갔어.

다 망했어.

하….

토닥
토닥

괜찮아, 괜찮아~
나도 음… 열심히 했는데
잘 안될 때도 있었어!

내가
어쩌다가…

그냥 웃어넘겨,
다음에 잘하면
되지~

아니…
난 무조건,

시작하면
잘하고 싶다고.

…와—

친해지니까
별일이 다 생기네.

토닥

189

아, 너무 좁아서 더운데.

토닥 토닥

야, 장유은 잠깐… 나 셔츠만 벗자.

너 진짜 한번 울면 아예 다른 사람이 되는구나?

닥쳐.

아닌가….

유은아, 그럼─

친구.

꾸물

낮에 학원에서 네 친구가 나 누구냐고 물어봤을 때 뭐라고 소개하려고 했어.

아~ 친구.

…와, 친구란 생각보다 더 가까운 존재네.

근데…

거기에
얼굴 묻으면
간지러운데.

······

다 울고 나니
몰려오는 민망함

···나가자.

후다닥

아, 개더워….

붙어 있으니까 당연히 덥지.

아, 나 가방에 미니 선풍기 있어.

오— 근데… 너 연기하고 싶냐?

주섬..

연영과 입시…? 이건 오디션 대본…

주운 거야, 그냥!

떨어지려고 해서 잡은 건데 뭐 그렇게…

내놔!

이런 반응은 처음인데…?

풉.

하, ㅅㅂ.
부끄럽지
당연히.

이리 줘

뭐가
부끄러워ㅋㅋ

비웃지 마!

예전에
하려다가 그만둬서
다시 할까 말까
고민한 거뿐이야.

비웃는 게 아니라
네 얼굴이 빨개지니까
웃기잖아ㅋㅋㅋ

그게 부끄럽냐?

연기하면
멋있지.

여기 줄게ㅋㅋ

씨야..

그만 웃어…
근데
말 나온 김에~

나 오디션 얼마 안 남았는데 내 연기 괜찮은지 한번만 봐주면 안 되냐?

그래.

아, 아직 못 외운 대사도 있는데 그것도 다음에…!

다급

너… 급했어?

가족들이 내가 연기하는 걸 싫어해서 물어볼 사람이 없어.

사아아..

그래, 해봐.

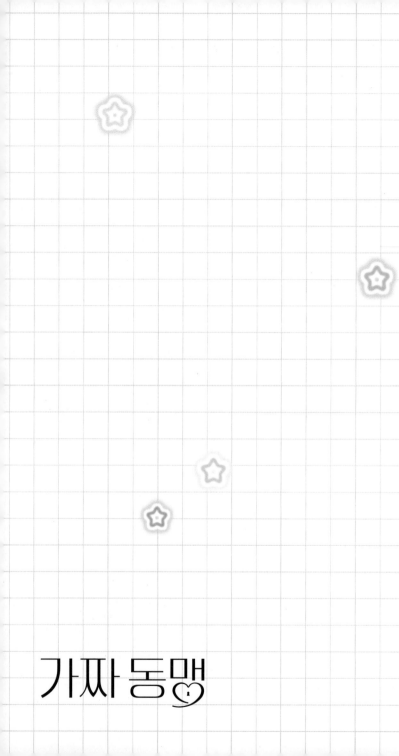

가짜 동맹

외전 3화

원지민과 장유은 (3)

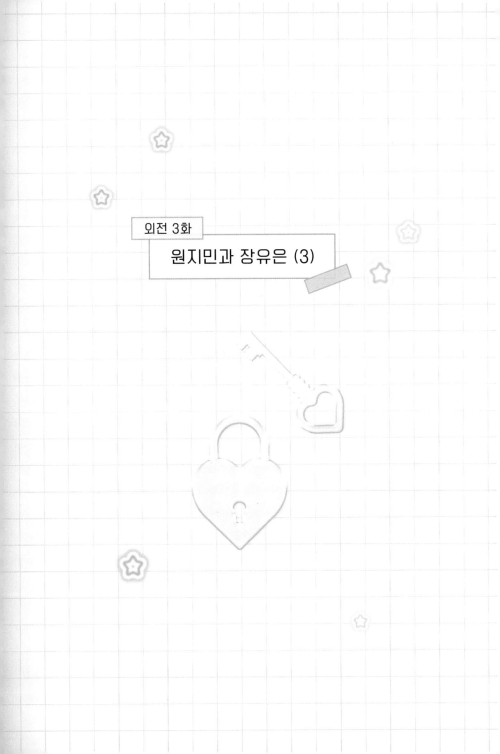

유은이가
그럴 애가 아닌데
오늘은 왜 그랬을까~

그렇게 쳐다보는데
어떻게 몰라.

어?

그냥…

계속
잡생각 하다가…

*티 나는
눈 피하기

다 망했어.

하….

…… …너 연락처 이름 안 바꾼 게 그렇게 쪽팔렸냐?

그런 건 아니고 그냥… 아, 나도 몰라.

…음, 얼버무리니까 이상한 생각 하게 되는데.

그냥 생각이 났어.

…야! 왜 그쪽으로 가!

그냥이면…

눈치 빠른 ㅅㄲ….

장유은, 거기 물이잖아!

!

풍덩!

전화를
해봐야 하나.

생각해보니
원지민…
젖어서 버스
못 탔겠는데?

밤이라
걸어갈 때 추울 텐데
괜찮나?

걔네 집이 더
가깝긴 하지만…

뭐야, 이거?!

그때
핸드폰이
바뀌었나 봐.

유은이

타이밍이
무슨…

지도나
성 떼고 저장했네

응, 원지민.

넌 폰에 잠금도
안 걸어놓냐?

아, 음침하게 들여다볼 생각 없으니까 볼까 봐 걱정하진 말고.

봐도 상관없어.

근데 너 어디야? 이거 바꿔야지.

나 집에 거의 다 왔는데.

아, 그래?

너 내일은 주말이라 집에서 쉬냐?

아마?

그럼 내가 내일 다섯 시에 너희 집 앞으로 갈 테니까 그때 만나자. 학원 때문에 어차피 고쪽 지나가야 해

나도 지금은 집에 거의 다 와서 귀찮아.

아, 예….

그럴 줄 알았다

심심할 때 너… 아니, '지민이'한테 전화 걸어도 되나?

아, 연락처 이름 가지고 몇 번을 우려먹어!

지는…

ㅋㅋㅋ 유은아, 네가 한, 에취

ㅋㅋㅋ 깜짝아.

…어?

아… 밤이라
좀 추운데?

…야, 너 왜
조용하냐?

지금 나
재채기했다고
비웃고 있지?

아니…

…안 웃었어.

달칵

여보세요….

응?
지민이?

!

방금
유은이 번호로
전화했는데….

…뭐야?

어제
지민이랑 유은이
핸드폰이 바뀌었대.

아…

그리고
지민이 아프대~

좀 걱정된다

......

그럼 푹 쉬게
전화 끊어주고
넌 나랑 놀자.

빨리 끊자

유은아.

미안한데
혹시 집 안까지
와줄 수 있어?

내가 지금
어지러워서
움직이기가 힘들어.

그래,
상관없어.

근데 너
어디 아파?

어젯밤이 추웠잖아…
감기 걸릴 만했다고 봐.

빨리
올라갈게.

죄책감

끼익

원지민…
나 들어간다?

어, 협탁 위에
폰 있으니까
바꿔 가.

바꿨어…
혹시 뭐 필요한 거
있냐?

괜찮다고요~

아~
죄책감 들어서
뭐 해주게?

뜨끔

벌떡!

그럼 물 좀
갖다주라.

…하,
알았다.

근데 장유은
폰 비번 알려달란 말을
끝까지 안 했네.

그래, 안 궁금한 것도 맞고
죄책감 드는 것도 맞으니까
제발 누워 있어라.

넌 내가
안 궁금했나
보다?

…깜짝아.

손은 왜 뒤로 숨겨,
이상한 거라도
보고 있었냐?

겠냐?

그리고 설마
이런 일로
미안해하는 건
아니지?

걱정해주실
필요 없습니다~

누워나 있어.

원지민.
여기, 물.

그새 자냐?

너...
생각보다 더
아프구나?

춥나?

전기장판
틀어주고
가야겠다.

전기장판
버튼

닿지 않는 거리

스브 위로
올라가야 하나.

난 항상,

자신보다
남을 생각하는 사람의
마음이 궁금했다.

어?

하지만 이런 식으로
실감하고 싶진 않았어.

그때
다쳤구나.

파스 덩매를
붙인 거야…

이렇게까지
해줄 필요가 있어?

너무 과하잖아.

근데 생각해보면
아무리
친해졌다고 해도…

친해져서
이렇게까지
해주는 거야?

우리 요즘
너무 가까워진 거
아닌가?

솔직히
어렴풋이 느끼고는
있었다.

이런 관계를 계속
'친구'라고 포장하기엔
너무 늦었다는 거.

스ㅂ
지금 무슨
생각을 하는 거야.

그동안 너무
허물없이 지내서
그래.

인정하면
돌이킬 수 없게
될지도 몰라.

너 원래 나한텐
징그럽게
안 굴었잖아.

풀썩

나 자신한테만
집중하기에도 모자라,
장유은.

난 남에게
마음을 줄 여유가
없어.

너 그런 놈
아니잖아.

살짝..

꿈틀

!

흠칫

깬 줄 알았네!

쿵

쿵

아, 놀라서
심장이…

지금
이러고 있는 것도
완전 선 넘는
행동이겠지?

알아,
다 잘 아는데…

……

쿵

아, 제발…
딱 한 번만 욕심부리고
일어날 테니—

쿵

—원지민을
좋아하지 않게
해주세요.

꽈악..

외전 4화

원지민과 장유은 (4)

......

아…

유은아.

끄극

…사귀지도 않는데
이러면 안 돼.

그리고 감기 옮아.

싫은 게 아니라 나 진짜 아파….

원지민…

너 몸 진짜 뜨겁다, 해열제 먹어야겠는데.

너는 무슨 그런 말을 이 상황에서…

야, 너—

—나한테 또 할 말 없어?

덥석

있어.

물 떠 왔으니까 마셔, 됐지?

…진짜 가져왔잖아?

그럼 가짜로 가져와?

야, 장유은 잠깐, 가지 말아봐…!

달칵

217

따뜻하네.

따리릭

괜찮아,
자연스럽게
넘어갔어.

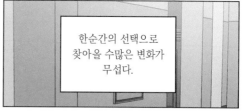

한순간의 선택으로
찾아올 수많은 변화가
무섭다.

내 결정은
도망이었다.

이제
아무렇지도
않다고…

원지민,
그만 히죽거리고
빨리 약 먹고 자.

아프더니
실성했냐

누나…
물을 데워 왔어.

또 무슨
헛소리야.

그냥 찬물을
줘도 됐는데…

지민아, 몸은 괜찮아졌어?

…진짜지?

좀 피곤해 보이는데

아, 주말 동안 쉬었더니 다 나았어.

어어~ 요즘 신경 쓰이는 일 때문에 늦게 자서 그래.

참, 유은이랑 핸드폰 바꿨어?

유은이한테 전화했는데 네가 받아서 놀랐어

응, 주말에 만나서 바꿨어.

너흰 진짜 둘이서 자주 만나는 것 같아.

유은이가 네가 편한가 봐.

글쎄… 오늘 내 연락은 피하는 거 보면 불편해하는 것 같은데.

음… 이유 없이 피하진 않을 텐데.

유은이가 표현이 서툴러서 그렇지,

내가 봤을 땐 오히려 너를 다른 애들보다 특별하게 생각하는 것 같던데?

221

실수 안 하니까 점수가 다시 확 올랐잖아?!

그냥... 신경 쓰이는 일이 좀 있어서 그랬어요.

안녕히 계세요.

우웅-

지민이

어젠 왜 그랬던 거야.

그래, 더 이상 미룰 순 없지.

아— 드디어 받았네.

미안... 쪽지 시험 준비하느라 못 봤어.

여보세요.

혁

혁

왜 전화했어?

장유은...

너 어제
내가 물 달라고 하니까
진짜 갖다줬더라.

어.

물이 따뜻하더라고…
네가 데워서까지
갖다줄 줄은 몰랐지.

…근데 잘 생각해보니까
네가 그렇게 행동한 이유를
알 것 같아서.

멈칫

…용건만 말해.
전화한 정확한 이유가
뭐야?

헉
헉

이유가 없어.

어?

그냥 너한테
전화하고 싶어서
전화했어.

매번 마주치는
정류장에서
기다릴게.

그동안 부정해오던
수많은 감정들이 모두
무너져내리는 느낌이었다.

사실 굳이
원지민이 아니어도
됐다.

또 수학 문제
물어보려고 왔냐?

수학 문제는
학교 선생님들께
물어볼 수도 있었다.

학원이 도움이 안 되면
다른 곳으로
옮기면 그만이었다.

그래,

모든 순간에
이유가 없었다.

그 사실을
깨닫자, 난…

더 이상
스스로에게
거짓말을 할 수 없었다.

지금은
못 만나.

왜, 이유가 뭔데.
약속 있어?

그건 아닌데…

…아~
왜 못 만난다는지
알 것 같은데.

너 그렇게
계속 미루고
구라치면―

세이한테
연애 상담이나
해야겠다!

어떤 애가 나 잘 때
올라타서 껴안았는데
이게 무슨 의미…

하지 마!

아~ 지금
전화해야겠다!

텁

사람
쪽팔리게 하려고
작정했냐?!

그럼
재하한테 할까?

탓

탓

갈 테니까
하지 말라고,
ㅁ친놈아!!

우
다
다

원지민!!

넌
이렇게까지 해야
오는구나?

너 이 ㅅ끼
비겁하게…!

덥석

전화했어,
안 했어?!

내가
진짜 할 거라고
생각했어?

당연히…

그건
아니지만….

그나저나…
인사가
ㅈㄴ 과격하네.

너무
바짝 당기는 거
아니야?

으….

저기요,
먼저 하실 말씀
있지 않으신지.

왜·또
가려고 해

......

그래, 있어.

해봐.

원지민, 나…

못 하겠으면 내가
말할까…

나
수학 문제를
모르겠어.

엥?

내가
잘하는 줄 알았는데
아직 아니더라고.

그래서 아직까진
문제 풀이를
도와줄 사람이
필요한데…

네가 잘하니까…
앞으로도 계속
도와주면 안 되냐.

뭔… 어제
그 짓을 해놓고
한다는 말이…

앚네,
서투른 겨

해줄 거지?

잘됐네.
그럼 우리
오래 봐야겠다.

와— 유은아,
너는 진짜…

하… 그래, 나도 마침
내 연기 연습을 도와줄
사람이 필요했으니까.

서로 봐주자
이거지?

끼익.

우르르

버스 왔다!

펙

!

야, 안 다쳤지?

응, 나도 너랑
오래 보고 싶어.

…우리가 탈 버스
몇 분 뒤 도착이야?

3분.

찌르르..

톡

…그래?

더
늦게 왔으면
좋겠다.

찌르르..

외전 5화

김재희와 윤세진

*재하와 세이의 성별이
바뀌었습니다!

女 윤세이   男 윤세진

男 김재하   女 김재희

자습

고요..

김재희.

톡

소곤..

사귈래?

슥..

오랜
짝사랑이었다.

요즘 왜
이런 시련들을
주는 걸까.

그럼 부모님들께
거짓말할 필요도
없어지잖아.

야,
윤세진.
이거 좀 봐!

내가 좋아하는
윤세진은

시련 1.
의미를 알 수 없는
말을 해서
혼란스럽게 한다.

내가
도와줄게.

괜찮아.

...가끔
네가 나보다
힘이 세다는 게
좀 씁쓸해.

최근 들어
윤세진의 장난 수법이 변했고
그건 나에게 곧 시련이 되었다.

내가
도와줄까?

아니야....

시련 2.
의미를 알 수 없는
행동을 해서
혼란스럽게 한다.

같이 가고 싶어서
기다렸어.
잘했지?

......

...오늘은 추우니까
먼저 가도 됐는데.

시련 3.
오늘만 해도—
아무렇지 않은
행동으로

너 머리끈 없어?
내가 도와줄까?

뭘...

그냥 내가
너 세수할 동안만
잡아주는 거지.

살짝

……

…사람을
기대하게 만든다.

자습 시간에
물어본 거
생각해봤어?

그 말도 어차피
평소처럼
장난친 거잖아.

만지작..

그리고
이 모든 시련의
가장 큰 이유.

응,
생각해봤어.

솔직히 지금이
가장 기대해봐도
좋을 상황이겠지만,

계속 기대만 하기엔
내가 너무
지쳤다는 점이다.

나는
너랑 못 만나.

이런 장난까진
못 받아줘.

아… 그래,
알겠어.

……

쉬오오

추위는 네가 더 타면서
나한테
네 핫팩을 주면 어떡해?

텁

춥다,
종 치기 전에 빨리
청소하러 가자.

교복으로 갈아입고
같이 비품실 가자.

좀 전에 네가 춥다고 했잖아.

그냥 한 말인데….

…나 아무리 생각해도 이해가 안 돼.

나한테 잘해주는 건 되고 사귀는 건 안 되는 이유가 뭐야.

난 이런 장난까지는 받아줄 수 없으니까.

윤세진,

넌 나 좋아하는 게 아니잖아.

황당

뭐야, 그게 이유였어?!

누가 그래.

누가 내가 너 안 좋아한다고 했어?

아니, 그냥…

내 감이야….

어?

넌 진짜
공부만 잘한다.

사귀자는 말을
정말 장난이라고만
생각한 거야?

아, 그리고 보니
내가 간과한 게
하나 있었다.

완전 틀렸는데.

같이
청소하고 있는 거
아니야?

장난 수법이 아니라
마음이 변했을 수도
있다는 걸.

윤세진 봤어?

아니—
걔 김재희랑
같은 구역 청소잖아.

…하하,
다 들켰어,
김재희!

이제
확실히 알았다고.

너 나
좋아하지?

…미안,
나도 모르게….

네가 왜
미안해해.

어차피 나도
너랑 같은데.

흠칫

아, 계획이
다 틀어졌어.

너무 섣불리
사귀자는 말부터
한 것 같아서

처음부터 다시
하려고 했다고.

아, 그러니까 원래는
네 마음을 확신하게 되면
먼저…

좋아한다고…
제대로
고백하려고 했는데.

김재희
네가 이런 식으로
행동할 줄은 몰랐네,
하하….

아…

하하, 김재희.
완전 빨개졌대요.

알아.

안 가려도 돼,
이리 와.

포옥

너도
비슷하거든.

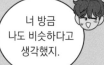

너 방금
나도 비슷하다고
생각했지.

응.

사실이잖아.

며칠 뒤

드르륵

김재희, 어디야?
기숙학원 퇴소일이라
피곤하겠다.

나
집 앞까지
왔어.

너야말로
다른 지역으로
봉사 다녀오느라
피곤할 것 같은데.

딱히?
난 괜찮아.

그럼 다행이야.
겨울 축제 어때?

아~
그거 안 갔어.

나 지금
너희 집이야.

잠깐,
우리 집이라고?

봉사 활동 끝나고
겨울 축제 간다며…!

김재희!

벌컥

!

그나저나 우리 뭐 하고 놀까.

다들 축제 즐기느라 늦게 올 것 같은데 하고 싶은 거 있어?

넥플 볼까?

네가 하고 싶은 거 하자!

……

너 진짜 귀엽다.

!

쪽♡

이거 맞지?

아, 김재희는 이런 걸 너무 좋아해~

그럼 이제 내가 하려고 했던 거 보여줄…

응? 또…?

잠깐,

주춤.

잠깐만, 김재희…!

그 전에 보여줄 게 있어서 그래!

이러다 늦어지면 곤란하다고.

…뭔데.

10초만 기다리고 있어봐!

이것만 보고 다시 해(?)

……

네가 눈 보고 싶다고 했잖아.

조잘

오늘 봉사 갔던 지역엔 눈이 와서 보여주려고 만들어 왔어.

어떻게 가져온 거지

사실 이게 나고 이게 넌데…

조잘

쮸굴..

우리랑 안 닮긴 했지만 너그럽게 봐줘.

괜찮아, 귀여워.

냉동실에 넣어둘래.

…그 정도야?

보고 밖에 둬도 됐는데

톡

톡

진짜 귀여운데.

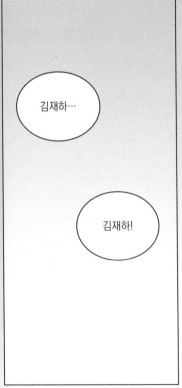

김재하…

김재하!

이거 봐!
나 아이스크림으로
눈사람 만들었어.

이따
과외·숙제하면서
먹자

이게 너고
이게 나야!

…자고
있었어?

아,
깜빡 졸았나 봐.

이상한 꿈이라도
꿨어?

표정이 이상해

진짜 꿨구나?
무슨 꿈이었어.

그게…
꿈에서 네가 남자고
내가 여자였는데

251

+TMI
재희는 세진이를
거뜬하게 들 수 있습니다.

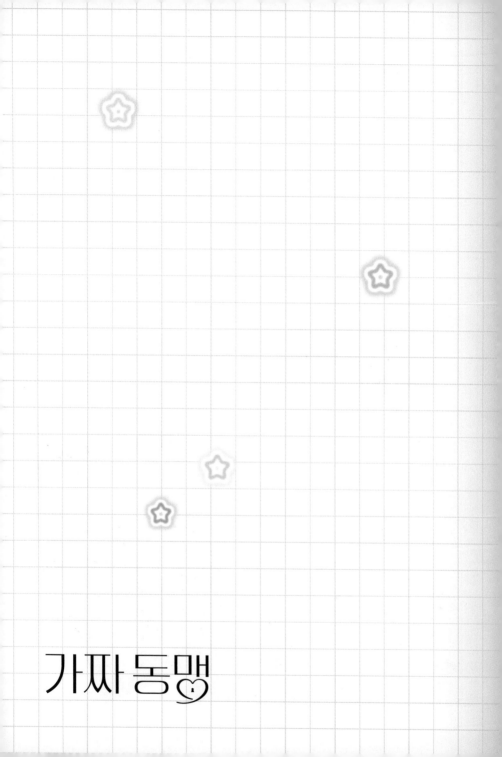

가짜 동맹

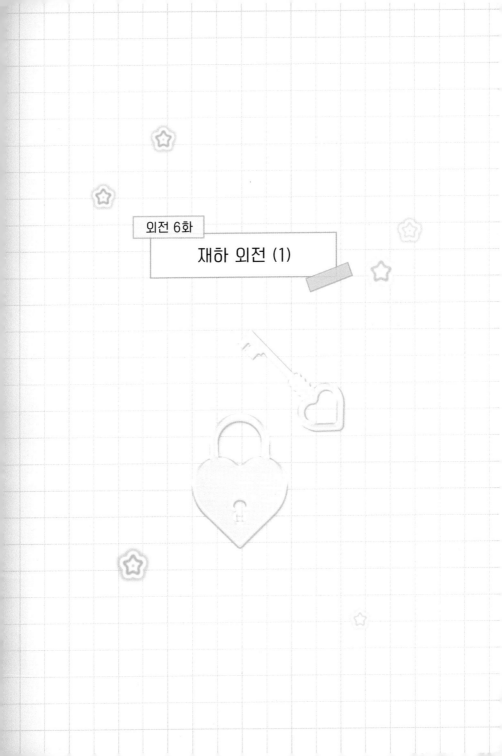

외전 6화

재하 외전 (1)

일곱 살.

싸아아

한참을 기다린 후
많은 어른들이
나를 데리러 왔을 때

어렴풋이 그 사람은
오지 않을 거란 걸
알았던 것 같다.

인적 드문 바닷가에서
오지 않을 한 사람을
기다렸다.

그걸 알면서도
기대했다.

무슨 일이 생겨서
늦게 오는 게 아닐까.

혹시 후회한다면
다시
돌아오지 않을까.

한 번 굳어진 마음은
변하기 어렵다는 것도.

사아..

하지만 끝까지
나의 첫 번째 엄마는
돌아오지 않았고,

나는 말도 안 되는 걸
기대하는 게
얼마나 바보 같은 일인지
깨달았다.

윤세이는
설명하기 복잡한
사람이었다.

장난기가
많지만

마냥
가볍기만 한 건
아니었다.

김재하, 우리
같은 중학교래!

완전 신기하다
그치!?

말수가
적지 않았지만

중학교 가서도
잘 부탁해!

시끄럽게
느껴지지 않았다.

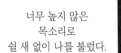

김재하!

!

너무 높지 않은
목소리로
쉴 새 없이 나를 불렀다.

와서
수박 먹으래!

이젠 진짜
보기에
이상하다고.

…윤세이,
무릎 베지 말라고
전에도 말했잖아.

네네~
이제 안 하면
되잖아.

정색하기는.

당연히
둘만 있으니까
하는 거지.

나도
이상해 보이는 거
알아.

키 차이가 제법
벌어졌다는 걸
그때 느꼈다.

우리 사이를 바라보는
시선이 어떤지는
진작 알고 있었다.

너 김재하랑
사귀지?

물어보는 사람들이
반쯤 장난으로 하는
말인 것도 알고 있었다.

수진이가
우리 사귀냐고
물어보더라ㅋㅋ

263

…생각해보니
나 우산 두 개 있는데
너 줄게.

쏴아아

재하야,
우산 안 가져갔어?!

깜빡했어요.

그날을 기점으로
내가 더
신경 쓰는 사람이 되었다.

덤벙거리는 거
습관 된다.

네….

곧 방학이라
과외 하나 더
등록했다.

성적 유지하려면
집중해야 하니,
공부할 땐 핸드폰도
나한테 맡겨.

그 당시
내 주된 목표는
'아빠에게 인정받기'
였다.

기사 봐.

참고로
우리 엄마가 아니라
그 자식이 바람나서
그렇게 된 거다.

뭐?

그리고 우리 이제
서로 얘기하지도
말자.

나는 윤세이의
자세한 가정사를 아는
몇 안 되는 사람이었다.

정치 경제

진설아♥이청현 결별·
결혼 앞두고 왜? 본문듣기

✓12395   💬2895

안녕!
네가 재하구나.

적어도 나는
그러면 안 됐다.

왜 그래,
재하야…?!

그 후 바로
여름방학을 했고
윤세이와 만날 기회는
없었다.

세이 엄마한테
물어봤는데 학원에
안 나오는 게 아니라
그만둔 거래.

듣기로
개인 과외를 하거나
외국에서 공부할
예정이라는데….

세이 본인은 별로
안 원하는 것
같지만.

더 빨리 알았더라면
좋았을걸.

좋은 느낌…?
그건 잘 모르겠는데.

M 좋아하다

통합   어학사전   이미지   지식

연관 사랑하다

국어사전

좋아하다
동사

어떤 일이나 사물 따위에 대하여 좋은 느낌을 가지다.

잘 대해주고 싶은 마음은
전부터 확실히
있었던 것 같다.

이거 네가
좋아하는 거지.

나도 주라.

하나밖에
없었어.

그러니까
그 남은 한 개를
왜 윤세이한테
주냐고~!

그게 너무 당연해서
특이하단 생각도
못 해봤다.

하지만
솔직히 말하자면,
그때의 난 오히려

닿는 순간마다

네가 실망하고 떠났기에
이 관계도 이미
끝났다고 생각했다.

네가 불편했어.

한 번 굳어진 마음은
변하기 어렵다는 걸
알아서.

운이 좋아
내게 다시
기회가 온다면

그러니까
앞으로도 넌 나를
절대 좋아하지 않을 거라고
생각했다.

김재하!

하지만 만약…

이번엔 그저 네게
한없이
잘해주고 싶었다.

우리 동맹 맺을래?
내가 좋아하는 사람이
있는데…

네가 날
좋아하지 않더라도
욕심부리지 않고.

처음엔
널 도울 수 있다는 게
마냥 좋았다.

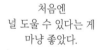

욕심을
눌러 담고

난 너랑
못 만나.

…가끔은
담지 못하기도
했고

그래도
최대한 담고…

정말
눌러 담으려고
했는데—

…뭐?!

내가 무슨 너한테
…키스할 수 있는지
물어본 것도 아닌데.

그러다 터졌다.

솔직히
기억이 잘 안 난다.

정신은 혼미하고
절제가 안 됐어.

279

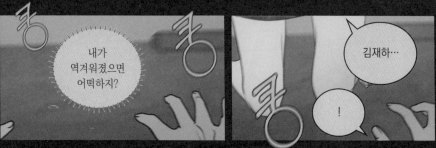

내가
역겨워졌으면
어떡하지?

김재하…

!

나 어떡해,
딸꾹질이
안 멈춰.

아까
통화할 때 엄마가 계속
왜 그러냐고 물어보셨는데…
이상하게 생각하시면
어떡하지?

너 원래 항상
나 도와줬잖아.

딸꾹질 좀
멈추게 도와줘.

딸꾹..

딸꾹

그날 나는
욕심을 눌러 담는 법을
잊어버렸다.

…도와줄게.

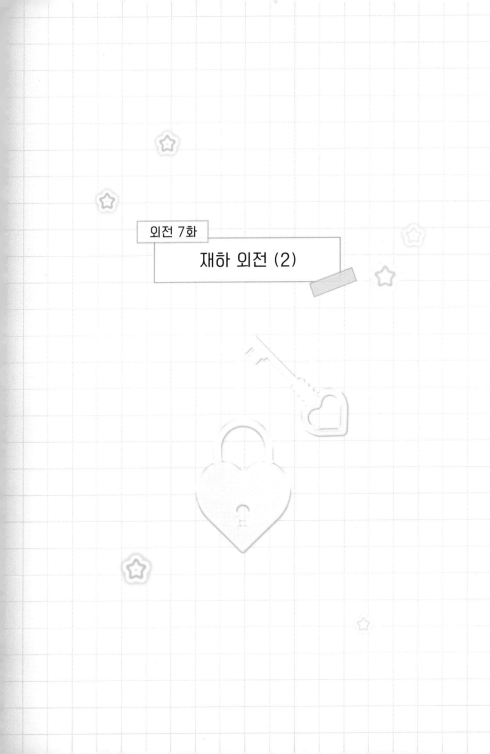

외전 7화

재하 외전 (2)

입을 손으로 막고
숨 쉬어봐.

…도와줄게.

이… 이렇게?

아니, 그게 아니라…
손바닥을
둥글게 말고.

딸꼭

쉭

…이렇게.

계속
숨 쉬어봐.

이제 멈췄어?

글쎄…

그 이후부터
아무래도 어딘가
고장 난 것 같았다.

김재하, 너
남의 가방
잠가줄 줄도 아냐?

어제 일 생각에
집어삼켜져
버릴 것 같았다.

윤세이가
이런 내 속을 몰랐으면
좋겠다고 생각했다.

제발 들키지
않았으면 좋겠다고
생각했다.

!

결국
들켜버렸지만
말이다.

왜
너도 피해?

난 괜찮은데.

그런데
들킨 후의 네 반응이
내 예상과 달랐다.

우리 할 얘기
있잖아.

많이 달랐다.

잘 가라!

쯔짝!

톡톡

난 분명
괜찮디고 했는데
괜히 지 혼자…

주어진 기회는
놓치지 않되,

매 순간
네 선택들을
존중하기로 했다.

결국 나는
네 마음이 변했을 수도 있다는
일말의 가능성을
기대하기 시작했고

네가 너를 제일
소중하게 여겼으면
좋겠어.

이미 내 욕심보다는
네가 중요해진 지
오래였다.

그리고
나에게,

좋아해,
재하야.

너라는 기적이
찾아왔다.

좋아해.

이 기적이
매일 깨지지 않길
바랐어, 세이야.

289

난
너랑 있는 게
좋아.

즐거워.

때로는
장난치고 싶고

때로는
닿고 싶어.

가끔은
네가 어려워.

잘해주고
싶어.

오늘 왜
향수 뿌렸어?

그냥… 너랑
놀러 가는 날이어서.

너에게
잘 보이고 싶어.

힘들면 말해봐, 아줌마께만이라도. 널 사랑하시잖아.
넌 내 주변에서 가장 세심하고
저라면 미안하다는 말이 가장 듣고 싶을 것 같아요.
용감하고
왜 나 때문에 이렇게까지 하냐는 말은 앞으로 하지 마.
너도 너 자신을 제일 소중하게 대하란 말이야!
다정한 사람이야.

세이야.

난 항상

빠아..

네가 소중했어.

그러니까—

네 선택을 믿고
하고 싶은 대로 해.

난 네가
어떻게 하든
상관없어.

…전처럼 계속
네 옆에 있을 거니까.

아,
있을 수 있도록
노력할…

…왜 그래?

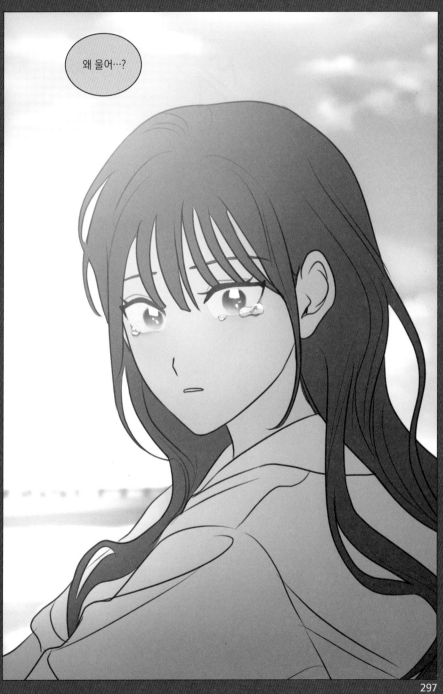

왜 울어…?

297

며칠 전

개학하면
워치 배경 화면
먼저 바꿔!

우리 사귀는 거
비밀이잖아!!

오늘이
개학이니까
빨리 바꿔야겠다.

자기 사진으로
바꿔놓은 사람

아, 맞다.
배경 화면.

반지도
이젠 안 되겠네.

세이 남친 누굴까?

얘가 완전 잘생겼고 귀엽대ㅋㅋ

근데 누군지는 절대 안 알려준다?!

잠깐, 그렇게까진 얘기 안 했어!

그냥 괜찮다고만 얘기했지!

ㄷ르륵

축하해, 오래가.

뜨끔

…너 왜 여기에 앉아?

우리 짝꿍이야.

뭐?! 그럼 방금 전부 들었…

301

민망...

자리 바꿀 수는 없다고 했나?

안 될걸?

흠칫

나도 여자친구 있는데.

...알아.

너도 오래가.

응.

그러려고.

302

오래.

국어사전

사랑하다
동사

어떤 사물이나 대상을 아끼고 소중히 여기거나 즐기다.

아주 오래
소중하게.

★ 외전 〈재하 외전〉 끝 ★

가짜 동맹 5

초판 1쇄 인쇄 2025년 1월 17일
초판 1쇄 발행 2025년 2월 14일

지은이 케냥
펴낸이 김선식

부사장 김은영
제품개발 정예현, 윤세미 **디자인** 정예현 **마케팅** 김다운
콘텐츠사업본부장 김길한
IP제품팀 윤세미, 김다운, 설민기, 신효정, 정예현, 정지혜
콘텐트리1팀 이석원, 손규성, 손준연, 최은석, 현승원
콘텐트리2팀 명소혁, 이광연, 이성호, 이제령
편집관리팀 조세현, 김호주, 백설희
저작권팀 성민경, 윤제희, 이슬
재무관리팀 하미선, 김재경, 김주영, 오지수, 이슬기, 임혜정 **제작관리팀** 이소현, 김소영, 김진경, 이지우, 최완규
인사총무팀 강미숙, 김혜진, 이정환, 황종원 **물류관리팀** 김형기, 김선민, 김선진, 박재연, 양문현, 이민운, 이주희, 주정훈, 채원석
외부스태프 하마나(본문조판)

펴낸곳 다산북스 **출판등록** 2005년 12월 23일 제313-2005-00277호
주소 경기도 파주시 회동길 490
전화 02-702-1724 **팩스** 02-703-2219 **이메일** dasanbooks@dasanbooks.com
홈페이지 www.dasan.group **블로그** blog.naver.com/dasan_books
종이 스마일몬스터 **출력·인쇄** 북토리 **제본** 다온바인텍 **코팅·후가공** 제이오엘엔피

ISBN 979-11-306-6302-9 (04810)
ISBN 979-11-306-5056-2 (SET)

다산북스(DASANBOOKS)는 책에 관한 독자 여러분의 아이디어와 원고를 기쁜 마음으로 기다리고 있습니다.
출간을 원하는 분은 다산북스 홈페이지 '원고 투고' 항목에 출간 기획서와 원고 샘플 등을 보내주세요.
머뭇거리지 말고 문을 두드리세요.